鋼の錬金術師

FULLMETAL ALCHEMIST

10

荒川弘《あらかわひろむ》

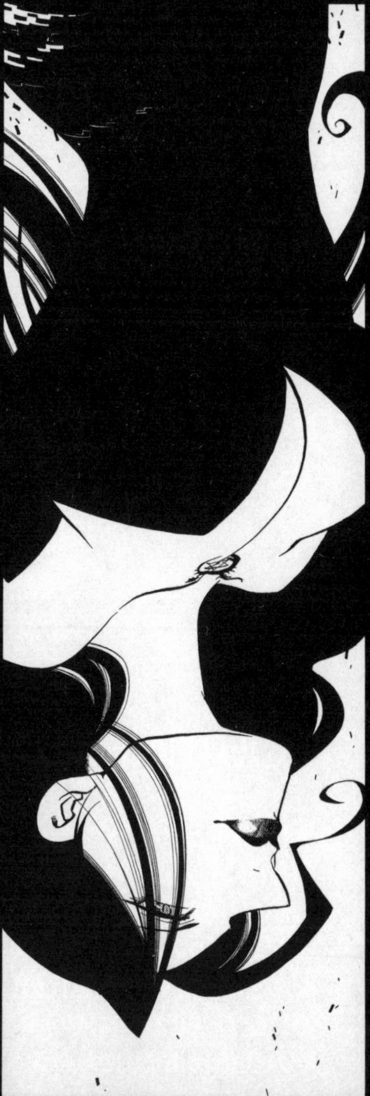

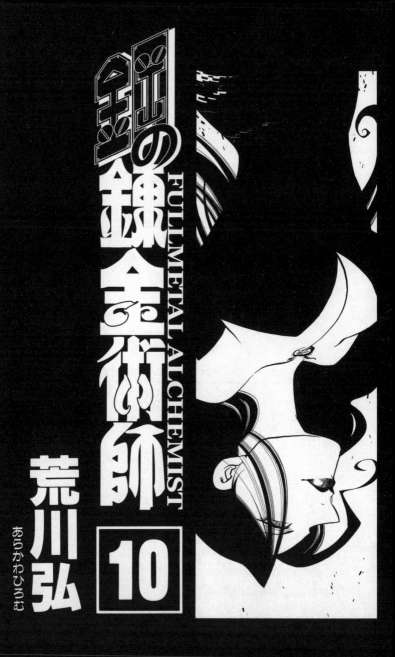

FULLMETAL ALCHEMIST **CHARACTER**

□ アルフォンス・エルリック

Alphonse Elric

□ エドワード・エルリック

Edward Elric

□ アレックス・ルイ・アームストロング

Alex Louis Armstrong

□ ロイ・マスタング

Roy Mustang

OUTLINE
FULLMETAL ALCHEMIST

エドワードとアルフォンスの兄弟《きょうだい》は、
幼《おさな》き日《ひ》に喪《うしな》った母《はは》を錬金術《れんきんじゅつ》により蘇《よみがえ》らせようと試《こころ》みる。
しかし、錬成《れんせい》は失敗《しっぱい》しエドワードは
左《ひだり》足《あし》と弟《おとうと》のアルフォンスを失《うしな》ってしまう。
なんとか自分《じぶん》の右腕《みぎうで》を代償《だいしょう》にアルフォンスの魂《たましい》を錬成《れんせい》し、
鎧《よろい》に定着《ていちゃく》させる事《こと》に成功《せいこう》するが
その代償《だいしょう》はあまりにも高《たか》すぎた。
そして兄弟《きょうだい》はすべてを取《と》り戻《もど》す事《こと》を誓《ちか》うのだった…。

鋼の錬金術師
FULLMETAL ALCHEMIST

CHARACTER
FULLMETAL ALCHEMIST

ウィンリィ・ロックベル

Winry Rockbell

マリア・ロス

Maria Ross

グラトニー

Gluttony

ラスト

Lust

66

66

エンヴィー

Envy

CONTENTS

なんて事《こと》だ…
兄《にい》さんはそのために少佐《しょうさ》に連《つ》れて行《い》かれたのか…!!
なんで誰《だれ》も教《おし》えてくれなかったんだよ!!
おッ
パァッ
やばいやばイ始《はじ》まっちゃったヨ
何《なに》？花火《はなび》？
ん――…
反撃《はんげき》ののろし……かナ？
にっ

第《だい》38話《わ》
反《はん》撃《げき》ののろし

なんで あいつは
こんな
まずいモノを
吸うの
かしら
CIGARETTE

行《い》くかイ？
……ヒューズさんを殺《ころ》した奴《やつ》の事《こと》がわかるかもしれない
ボク達《たち》の責任《せきにん》もあるとしたら
見届《みとど》けなくちゃいけないと思《おも》う
行《い》くの？
うん

…帰《かえ》って来《き》たら
何《なに》があったか
きちんと話《はな》してね
うん
ちゃんと…
帰《かえ》って来《く》るよね？
うん
約束《やくそく》する！
片付《かたづ》けは
終《お》わったのか？
いえ
まだ報告《ほうこく》は…
でも
ネズミの隠《かく》れ家《が》は
間違《まちが》い無《な》く
突《つ》き止《と》められる
でしょう

魂《たましい》と肉体《にくたい》はひかれあうものですから
手抜《てぬ》かりは無《な》かろうな
グラトニーとエンヴィーが行《い》っています
失敗《しっぱい》は無《な》いでしょう
くっ…
…っっそがあ!!!
三回《さんかい》死《し》んだぞ!!!

なめやがってなめやがってなめやがって!!!
こうなったら一般人《いっぱんじん》に混《ま》じって後《うし》ろからグッサリやってやる!
――いた!!
へへ…そうそう
そのまま振《ふ》り向《む》くなよ

なんでだぁ——ッ!!
ビィ
!?
ガギャガギャ
ガキン
ガキン

ぎり
ギリ
ぎり
ゴトン
もうおわり?
おわり?
がぱ
食《た》べていい?
……!!
!!

ハヤテ号《ごう》!?
ガうぅうう
あうううぅ
うるさい〜〜〜
じゃま〜〜〜〜
く…
かは…っ
ごほごほっ
わうわう
中尉《ちゅうい》!!

ドガ
ドガ
ドンドンドンドンドン
ドガドガドガ
ドスッ
ガキン
ガキン
弾《たま》切《ぎ》れ？
弾《たま》切《ぎ》れ？
にぃ

それじゃ いただき ま〜〜〜す
バチッ
ゴン

た…
大佐《たいさ》!!
くっ…そ!
グラトニー!!
何《なに》やってる!!
手《て》をか……
せ…

のおおお・
おおおおお
ドザザザザン
……のバカ!!
なんで焼豚《やきぶた》になってんだよ!!
ちいっ…ここは一度《いちど》逃《に》げて体勢《たいせい》を立《た》て直《なお》す…!!
ズル
姿《すがた》を変《か》えても無駄《むだ》ダ
な…

だから
なんで
わかるんだよ!!
ザシャン
!?
?
あああ!?
ドカカッ
いっ
……!!
バキバキバキ
な……
なんだ
今《いま》の…
!
!

このっ…
ブッ…殺《ころ》…
潰《つぶ》してやるぞ!!
?
こちらさん変《か》わった中身《なかみ》してるネ
……このっ 次《つぎ》から次《つぎ》へと始末《しまつ》しなきゃならない奴《やつ》が増《ふ》えやがって…
ズン
ふっかーつ
エンヴィー こいつら食《た》べていいの?
よっしゃ行《い》け! 食《く》え! 丸《まる》かじれ!
うわ こりゃまたすごいのが来《き》たぞ
こいつも…ですね

ぐおおおお
何《なに》？殺《ころ》しても死《し》なない？
はい
それって………
不《ふ》老《ろう》不《ふ》死《し》!?
わっ
なんだあの太《ふと》いのは…
中尉《ちゅうい》ケガはありま…
ドカ
ドカ
なんで出《で》て来《き》たんですか!!
私達《わたしたち》に万《まん》が一《いち》の事《こと》があっても無視《むし》していれば敵《てき》の追求《ついきゅう》を逃《の》がれられるのに！
こんな所《ところ》にのこのことバカですか!!
あ――わかったわかった私《わたし》がバカだった!!
あ

目標《もくひょう》が逃走開始《とうそうかいし》！
むっ
……よし いいぞ
巣《す》に逃《に》げ込《こ》めよ……
曹長《そうちょう》撤収《てっしゅう》だ！
ゴミひとつ残《のこ》すな！
はい！
ビシ！
ハヤテ号《ごう》は曹長《そうちょう》と一緒《いっしょ》にいなさい！
ビシッ！
中尉《ちゅうい》！
カッ
はい
カッ
カッ
カッ
生《い》きてて良《よ》かった
カッ
カッ
ご心配《しんぱい》おかけしました
カッ
カッ
目標《もくひょう》は!?
キッ
バリーが追《お》ってます
急《いそ》いでください

ファルマンは留置所《りゅうちじょ》襲撃犯《しゅうげきはん》に監禁《かんきん》されていた事《こと》にしろ！被害者《ひがいしゃ》を装《よそお》え！
はっ！
我々《われわれ》は目標《もくひょう》を追《お》う！
大佐《たいさ》!!
アルフォンス君《くん》何故《なぜ》ここに…
ヒューズさんの件《けん》と関係《かんけい》があるんでしょう？
………来《く》るか？
はい！

ゴオオオオーオー
見失《みうしな》うなよ
逃《に》がさねェよ!
ヅオオオオオオオ
ザザ
ガシャ
ガシャ
どこへ逃《に》げたってわかるさ
げっへっへ……魂《たましい》がざわついてたまんねェぜ
市街中心部《しがいちゅうしんぶ》へむかっていますね
せまっ
ごめんなさい〜
ああ
あまり目立《めだ》つのは好《この》ましくないな
大佐《たいさ》さっき黒髪《くろかみ》の長《なが》い細身《ほそみ》の…えーと…
ウロボロスの入《い》れ墨《ずみ》がある人《ひと》に会《あ》った

前《まえ》に一度《いちど》第五研究所《だいごけんきゅうじょ》で会《あ》った事《こと》があるんだ
たしかエンヴィーって名前《なまえ》
その仲間《なかま》と思《おぼ》しきグリードって人《ひと》にも南部《なんぶ》で会《あ》った
人造人間《ホムンクルス》だった
ギャギャギョ!!
うぎゃおわ!!
あぶねェなバカ!!
ブォオオ
オオオオ
おおすまん

待《ま》て待《ま》て待《ま》て！
人造人間《ホムンクルス》だと？
そんな事《こと》
「ありえない
なんて事《こと》はありえない」
そのグリードって人《ひと》の言葉《ことば》だよ
さっきなんてエンヴィーって人《ひと》が犬《いぬ》から人《ひと》へ変身《へんしん》してた
ボクもありえないと思《おも》ったけどたしかに見《み》たんだ
二人《ふたり》ともすごい再生能力《さいせいのうりょく》を持《も》ってた
グリードは頭《あたま》を半分《はんぶん》ふきとばされてもすぐ元《もと》に戻《もど》ってたし…
…って言《い》っても信《しん》じてもらえるかな
信《しん》じるわ
さっきの太《ふと》った男《おとこ》…
急所《きゅうしょ》に何発《なんぱつ》撃《う》ち込《こ》んでも平気《へいき》な顔《かお》をしてたからあれも同類《どうるい》でしょう
ぎゅ
……なんと言《い》うか
デタラメ人間《にんげん》の万国《ばんこく》ビックリショーだな

本当《ほんとう》にここに入《はい》って行《い》ったのか？
間違《まちが》い無《ね》ェ
第三研究所《だいさんけんきゅうじょ》やはり軍《ぐん》の施設《しせつ》か
錬金術研究所《れんきんじゅつけんきゅうじょ》は大総統府直轄《だいそうとうふちょっかつ》だ
上層部《じょうそうぶ》をゆするきっかけができたな
よし 逃《に》げ込《こ》む先《さき》を突《つ》き止《と》められたら十分《じゅうぶん》な収穫《しゅうかく》だ
引《ひ》くぞ
げははははは!!
ダッ
あ……こら!!
あの野郎《やろう》完全《かんぜん》に自分《じぶん》を見失《みうしな》ってやがる!!
ドカ
ベキョ
うわぁ
なんだ貴様!!

……好都合《こうつごう》だ
へ？
ガシャーン
うわあああああ!!
きゃあああああああ
どけどけェ!!
おめェらの肉《にく》にゃ興味《きょうみ》は無《ね》ェんだよ!!
ガシャガシャガシャ
どこだオレの肉《にく》ちゃんよォ〜〜〜
逃《に》げてもダメだぜェ…
オレの魂《たましい》がこっちだって言《い》ってやがるからよォ〜〜〜

手配中《てはいちゅう》の殺人犯《さつじんはん》が侵入《しんにゅう》した!!
残《のこ》っている職員《しょくいん》はすみやかに退避《たいひ》!!
何事《なにごと》ですか!?
うむ!西区《にしく》留置所《りゅうちじょ》を襲撃《しゅうげき》した凶悪殺人犯《きょうあくさつじんはん》が侵入《しんにゅう》した!
カツカツカツカツカツ
犯人《はんにん》は我々《われわれ》にまかせろ!
警備兵《けいびへい》は出入《でい》り口《ぐち》を封鎖《ふうさ》!
はっ!!
バタバタバタ
増援《ぞうえん》を呼《よ》びますか?
もう呼《よ》んである!
君達《きみたち》は出入《でい》り口《ぐち》を守《まも》っていてくれ!
いつ呼《よ》んだんですか?
嘘《うそ》だ

ゴウン
ゴウン
ゴウン
ゴウン
ゴウン
大佐《たいさ》！
バチイ
ギ…
バリーの奴《やつ》どっちに行《い》った？
二手《ふたて》に分《わ》かれますか？

深追《ふかお》いはするな
適度《てきど》に情報《じょうほう》をつかんだら戻《もど》れ
はい
中尉《ちゅうい》…ボク作戦《さくせん》にジャマじゃないかな
そんな事《こと》ないわよ アルフォンス君《くん》の錬金術《れんきんじゅつ》は頼《たよ》りになるもの
軍人《わたし》じゃどうにもならない事《こと》があったらよろしくたのむわよ
あ…はい!
なんか殺伐《さつばつ》とした雰囲気《ふんいき》っスね
ぷは
まるで監獄《かんごく》だ

かなり古《ふる》い物《もの》のようだ
もう使《つか》われていない実験室《じっけんしつ》だな
……まともな実験《じっけん》はしてなさそうだがな
仕留《しと》め損《そこ》ねた上《うえ》にここへの侵入《しんにゅう》を許《ゆる》してしまうなんて
何《なに》をやってるのかしらあの子達《こたち》は
カツン
あなた達《たち》の事《こと》をみくびっていたようね

カッ
コッ
ひどいわぁ
私《わたし》とのデートをすっぽかして何《なに》してるかと思《おも》ったらこんな所《ところ》に来《き》てたなんて
カッ
コッ
カッ
会《あ》いたかったわ
ジャン
パキ…
ソラリス…なんでここに…
知《し》り合《あ》いか!?
ジャンとお付《つ》き合《あ》いさせてもらっているわ
おいウロボロスの入《い》れ墨《ずみ》だぞ
……俺《おれ》も今《いま》知《し》りましたよ

だましてて ごめんなさいね
これも情報《じょうほう》を 手《て》に入《い》れるためよ
——なるほど だまされる訳《わけ》だ
おまえ ボイン好《す》きだろ
大《だい》好《す》きっス ボイン
この女《おんな》に 何《なに》か喋《しゃべ》ったか？
何《なに》も 仕事《しごと》の事《こと》は 喋《しゃべ》ってませんよ
そうね あなた 口《くち》が堅《かた》くて 役《やく》に立《た》たなかったわ
仕事《しごと》と プライベートを わける位《くらい》の 甲斐性《かいしょう》は あるさ
ソラリス…と 言《い》ったか
偽名《ぎめい》よ
マース・ヒューズを 知《し》っているか？

よーく知《し》ってるわ
頭《あたま》の回《まわ》るいい男《おとこ》だったわね
止《とど》めを刺《さ》せなかったのが残念《ざんねん》だったわ
跪《ひざまず》け
洗《あら》いざらい吐《は》くんだ

無理《むり》ね
あなた達《たち》じゃ私《わたし》を跪《ひざまず》かせる事《こと》はできない
パリ…
ズザーッ
ふ…
ふふ…
ボタ
ボタッ
さすがイシュヴァールの英雄《えいゆう》は容赦《ようしゃ》ないわね
パキ

あら よく調《しら》べたわね ジャン
ここまで たどり着《つ》いた ごほうびに 見《み》せてあげる
ジャキン
ぎち…
見《み》える かしら?
賢者《けんじゃ》の石《いし》よ
ドクン

この石《いし》を核《かく》に造《つく》られた人間《にんげん》
それが私達《わたしたち》よ
…化物《ばけもの》め！
失礼《しつれい》ね
あなた達《たち》と変《か》わらない外見《がいけん》に五感《ごかん》もある
感情《かんじょう》もある
生《う》みの親《おや》に対《たい》する愛情《あいじょう》もある
人間《にんげん》よ
ぞ…

ほお…重大《じゅうだい》な秘密《ひみつ》を話《はな》したという事《こと》は我々《われわれ》を生《い》かして帰《かえ》す気《き》が無《な》いという事《こと》か？
そしてその重大機密《じゅうだいきみつ》である人造人間《ホムンクルス》がここにいるという事《こと》はこの先《さき》に何《なに》か重要《じゅうよう》な物《もの》があるという事《こと》…
……その奥《おく》に何《なに》があるのか…
見《み》せてもらうぞ
ハボック！命《いのち》の取《と》り合《あ》いになったからには女《おんな》の事《こと》は忘《わす》れろ！
は……
俺《おれ》って本当《ほんとう》に女運《おんなうん》が悪《わる》い…

ち……
ハボック！援護《えんご》しろ！
ギュッ
アイ・サー!!
ビッ
遅《おそ》い!!
発火布《はっかふ》が湿気《しけ》ってちゃお得意《とくい》の炎《ほのお》も出《だ》せないわね

ジャッ
うおおおおおおおおお
ドッ
うひ!!
ズザザッ
どうすんスか!!
このままじゃ
なぶり殺《ごろ》し
ですよ!!
ドドドッ
ふん…
なめられた
ものだな

むしろ好都合《こうつごう》だろう
大量《たいりょう》の水《みず》があるという事《こと》は大量《たいりょう》の水素《すいそ》もあるという事《こと》だ
可燃性《かねんせい》ガスは錬成《れんせい》し放題《ほうだい》
加《くわ》えてこの密閉空間《みっぺいくうかん》
パリリッ
!!

私《わたし》の独壇場《どくだんじょう》だろうが
ゴオオ
オオオ
あーあーひでーな
前《まえ》の彼女《かのじょ》にもらったやつなのに
あれ
くそ点《つ》かねーや
ジッ
ジッ
大佐《たいさ》ぁ火《ひ》ぃもらえませんかね…
……ってそのナリじゃ無理《むり》っスね
湿気《しけ》たマッチとか言うなよ!!

………焼《や》け死《し》にましたかね?
バラバラに吹《ふ》き飛《と》ばされたか焼《や》けたか……
パキ
いやこれは間違《まちが》い無《な》く焼《や》けてるな
なんでわかるんスか
パキーン
人《ひと》が焼《や》けると空気中《くうきちゅう》に脂肪《しぼう》が飛散《ひさん》する
新《あたら》しい焼死体《しょうしたい》が近《ちか》くにあるとな
パキ
唇《くちびる》のあたりがその脂肪《しぼう》でベタついてくるからわかる
うへ…
イシュヴァールの経験《けいけん》ですか
パキ
……死体《したい》が近《ちか》いぞ
あの再生力《さいせいりょく》はあなどれん
気《き》をつけろ
チャ

ドス
ズ…
ハボック!!!

ハボック!!
しっかりしろ!!
……っとに女運《おんなうん》悪《わり》ィ……
パキ パキ
だめね もう助《たす》からない
いや……

無駄《むだ》よ!!
まだまだ私《わたし》は死《し》なない!!
ダン
助《たす》ける方法《ほうほう》なら……
ここに有《あ》る!!

ブチィ
賢者《けんじゃ》の石《いし》に錬成増幅効果《れんせいぞうふくこうか》があるというのは貴様《きさま》の再生力《さいせいりょく》で確《たし》かなものだとわかった
ブチブチ
ああああああああああっ
私《わたし》の部下《ぶか》の治療《ちりょう》に使《つか》わせてもらうぞ
ザリァ
ハボック！しっかりしろ！
治療系《ちりょうけい》の錬金術《れんきんじゅつ》は専門外《せんもんがい》だが石《いし》の力《ちから》で底上《そこあ》げすれば…
めき…

パキン
淑女《レディ》の胸元《むなもと》に
手《て》を突《つ》っ込《こ》むなんて
乱暴《らんぼう》じゃなくって？
な…!
マスタング大佐《たいさ》
バキ
バキメキメキパキパキ
パキ

第《だい》39話《わ》 錯《さく》綜《そう》のセントラル

FULLMETAL
ALCHEMIST

ざわ ざわ
ざわ
ざわ
ざわ
マスタング大佐《たいさ》は無事《ぶじ》でしょうか
ざわ ざわ
ざわ
我々《われわれ》はこんな所《とこ》で待機《たいき》してていいんですかね
しょうが無《な》いだろ大佐《たいさ》の命令《めいれい》なんだから
増援《ぞうえん》を呼んであると言《い》っていたから…
——っと言《い》ってるそばから来《き》ましたよ
ドッ
ドッ
ドッ
タッ

ドッ
ドッ
ドッ
ドッ
ド
ドッ
だっ……大総統《だいそうとう》閣下《かっか》!?
侵入者《しんにゅうしゃ》ありとな?
カッ
コッ
カッ
はっ! 西区《にしく》留置所《りゅうちじょ》を襲《おそ》った犯人《はんにん》が中《なか》に!
マスタング大佐《たいさ》が追《お》っています!
どれ 助《たす》けに行《い》こう
お待《ま》ちください! 大佐《たいさ》の呼《よ》んだ増援部隊《ぞうえんぶたい》が今《いま》……
カッ
カッ
カッ
カッ
カッ
カッ

キン
私《わたし》
一人《ひとり》で良《よ》い
ズ
ズ…ン
!
なんの音《おと》?
――!
……
バリーは
こっちね

ボタッ
ボタ
言《い》ったはずよ
「賢者の石《こっち》が核《かく》だ」と
私達《わたしたち》はあなた達《たち》人間《にんげん》より真理《しんり》に近《ちか》い存在《そんざい》
進化《しんか》をとげた新《あら》たなる人間《にんげん》の形《かたち》…とでも言《い》っておきましょうか?
ザン

ズルッ
ごめんなさいね
あなたは大事《だいじ》な人柱候補《ひとばしらこうほ》だから殺《ころ》したくなかったんだけど
ビッ
ここまで首《くび》を突《つ》っ込《こ》まれたら放《ほう》っておく訳《わけ》にいかないの
ぐ…
ビリ
ビリリッ
さて
まだネズミが入《はい》り込《こ》んでいるようだし
そちらも始末《しまつ》して来《こ》ようかしら
カッ
カツッ
貴様《きさま》…

目《め》の前《まえ》で部下《ぶか》が冷《つめ》たくなって行《い》くのを見《み》ながら
あなたも逝《い》きなさい
かは。
ハボック少尉《しょうい》…
おいハボック！
返事《へんじ》をしろハボック！
どいつもこいつも私《わたし》より先《さき》に…
くそっ!!
貴様《きさま》ッ私《わたし》より先《さき》に死《し》ぬ事《こと》は許《ゆる》さんぞ!!
ハボーック!!

遅《おそ》かったね姉《あね》さん
!?
腐敗臭《ふはいしゅう》？
へっへっへ みっとも無《ね》ェ物《もの》見《み》せちまったァ
見《み》ろよ オレの肉体《にくたい》
こんなに腐《くさ》っちまってよゥ……

バリーの肉体《にくたい》によそ者《もの》の魂《たましい》をぶち込《こ》んだからズレが生《しょう》じたんだろうよ
元々《もともと》別《べつ》だった物《もの》同士《どうし》だ
反発《はんぱつ》して当然《とうぜん》だわな
はっ
そうだ…他人《たにん》の魂《たましい》と肉体《にくたい》は本来《ほんらい》相容《あいい》れないもの…
この身体《からだ》も
鉄《てつ》の塊《かたまり》にヒトの魂《たましい》
ボク達《たち》が目的《もくてき》を果《は》たすその日《ひ》まで拒絶反応《きょぜつはんのう》を起《お》こさずにいてくれる保証《ほしょう》は無《な》いんだ
兄《にい》さん……!!

くっ………
!?
やっと……
つかまえたぁ!!

..........!!
しっ…
!

ランファン!!
早《はや》く
剣《けん》を返《かえ》せ!!
ドド
ドドド
おねがい!!
若《わか》!!
ビッ
パン

んしょ
ばりちん
…もうヤダ
こいつ
なぁ
そろそろ
大人《おとな》しく捕《つか》まって
くれないかナ
悪《わる》いようには
たぶん
しないからサ
ケンカか?
なんだありゃ
…………
グラトニー
人《ひと》が増《ふ》えて
きた
うん
食《た》べていい?
いや
飲《の》んでいいよ

にいたああぁ
見物人《けんぶつにん》も
こいつらも
この嫉妬《エンヴィー》の姿《すがた》を見《み》た奴《やつ》は
パキ
何《なに》もかも全《すべ》てだ
パキ
パキ

何《なに》をしているのですか
!?
「プライド」か!?
何《なに》しに来《き》た!!
仕事《しごと》も片付《かたづ》かず街中《まちなか》で醜態《しゅうたい》をさらし
更《さら》に我々《われわれ》の懐《ふところ》にまで侵入《しんにゅう》を許《ゆる》すとは情《なさ》けない、

懐《ふところ》に侵入《しんにゅう》……!!
エンヴィー 君《きみ》はいささか 雑《ざつ》すぎる
今日《きょう》は 引《ひ》いた方《ほう》が 良《よ》いでしょう
でも……
黙《だま》りなさい 小童《こわっぱ》が
これ以上《いじょう》 文字《もじ》通《どお》り 「醜態《しゅうたい》をさらす」と 言《い》うのですか
……っ!!
引《ひ》くぞ グラトニー
こく こく
おい
命拾《いのちびろ》いしたな
どうかナ?
やってみないと わからないヨ

ふん
っ……
若《わか》!!
ぶはぁ！
どっ
なんだありゃ!!
申《もう》し訳《わけ》ありません
せっかくの不老不死《ふろうふし》の手《て》がかりを逃《にが》してしまいました
いや…奴《やつ》ら何《なに》かわからないがかくし玉《だま》を持《も》っている
まだ他《ほか》に仲間《なかま》がいたようだし本当《ほんとう》に命拾《いのちびろ》いをしたな

まったく……
面白《おもしろ》い奴《やつ》が
多《おお》いな
この国《くに》は！
へっへっへ…
来《き》たな
ラストさんよォ
ナンバー66《ロクロク》
そう…
あなたをエサに
まんまと
釣《つ》られたって訳《わけ》ね

なぜ大佐《たいさ》に協力《きょうりょく》したの
へっへ…オレぁこんな性格《せいかく》だ
元々《もともと》おめェらの下《した》でいつまでもこそこそと生《い》きてくつもりは無《な》かった
だからってシャバに出《で》てもおめェらの影《かげ》がちらついて思《おも》いきった事《こと》ができねェ
この状況《じょうきょう》を打開《だかい》するためにゃおめェらがいなくなってくれるのがありがてェのよ
なにより
おめェさんを斬《き》りてェ!!
困《こま》った男《おとこ》ね
鎧《よろい》くん あなたも困《こま》った子《こ》ね こんな所《ところ》に来《き》てしまうなんて
人柱候補《ひとばしらこうほ》を一晩《ひとばん》に二人《ふたり》も殺《ころ》さなきゃならないなんて大損失《だいそんしつ》だわ

「人柱《ひとばしら》」…!?
「二人《ふたり》も」?
そう
あなたともう一人《ひとり》…
オレ様《さま》シカトして何《なに》をゴチャゴチャ言《い》ってんでェ!!
続《つづ》きは断《だん》末《まつ》魔《ま》で聞《き》いてやるぜ
ラストさんよォォオオオォォオ!!
あれ?

うるさい男《おとこ》は嫌《きら》いよ
ガシャーン

ザラ…ン
さて…
カッン
どっちから逝《い》く？
カッ
コッ
鎧《よろい》くん？
やっぱりここは中尉《ちゅうい》さんかしら？
あなた忠義《ちゅうぎ》が厚《あつ》そうだものね
カッ
コッ
カッ
すぐに上司《じょうし》の後《あと》を追《お》わせてあげるわよ
待《ま》って…
「人柱《ひとばしら》を一晩《ひとばん》に二人《ふたり》」と言《い》ったわね
まさか…
まさか…
カッ
コッ…！

きっ……
…さま
ああああ
あ
あ
あああ
あああ

あぁあああ

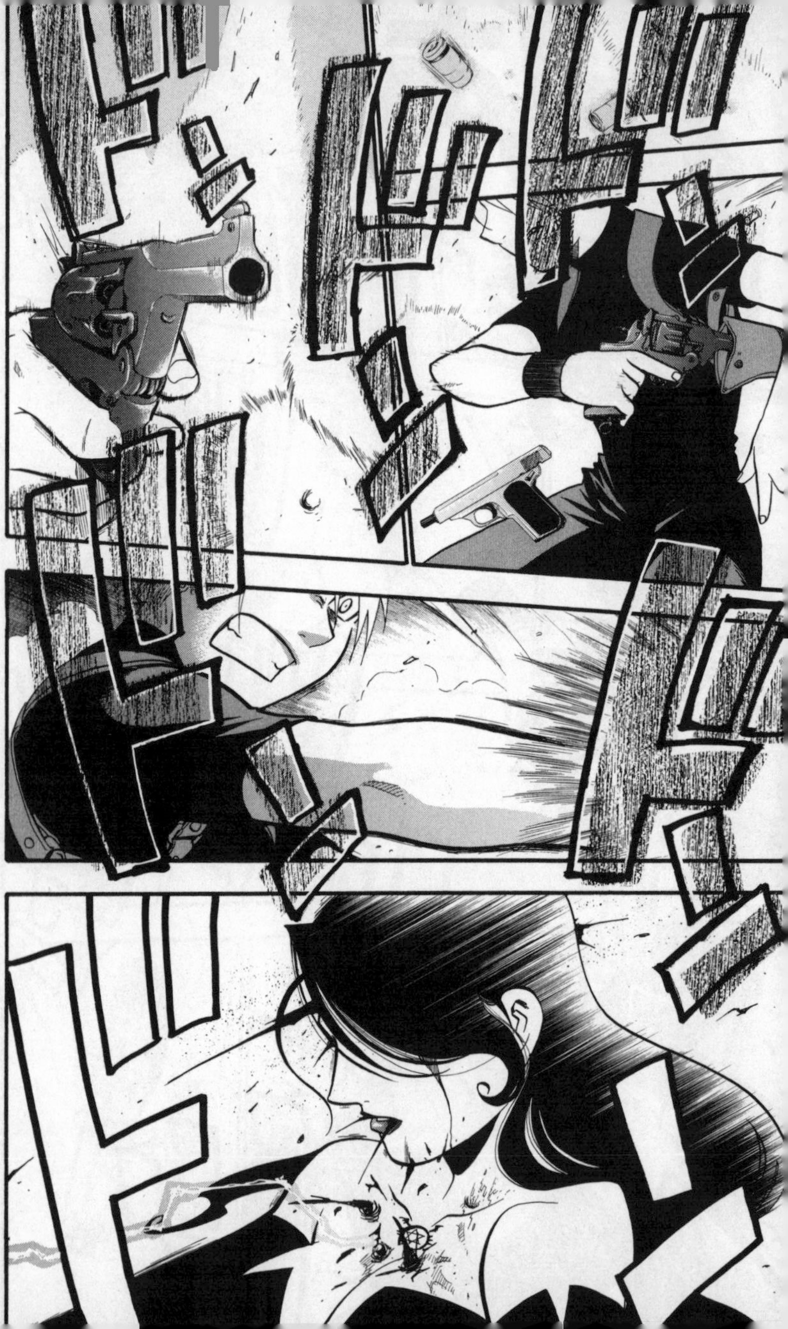

ガキン
ガキン
ガチ、
はー
はー
はー
終《お》わり？
は
は

ガ
本当《ほんとう》に愚《おろ》かで弱《よわ》い
悲《かな》しい生《い》き物《もの》ね
めきっ
!
ス

中尉《ちゅうい》
立《た》って
逃《に》げるんだ
困《こま》った子《こ》ね
先《さき》に
死《し》にたいの？
!!
ガシャ

そう……
あなた扉《とびら》を開《あ》けたの……
ガッ
残念《ざんねん》だわ
人柱確定《ひとばしらかくてい》の人材《じんざい》を屠《ほふ》る事《こと》になるなんて
ガキ

ぎし ぎし
早《はや》く!!
何《なに》してる!!
余計《よけい》な事《こと》しないで坊《ぼう》や
その女《おんな》は死《し》にたがっているんだから!
させない!!
アルフォンス君《くん》私《わたし》を置《お》いて逃《に》げなさい
いやだ!!
逃《に》げなさい!!
あなただけでも!!
いやだ!!

いやなんだよ!!
ボクのせいで…
自分《じぶん》の非力《ひりき》のせいで人《ひと》が死《し》ぬなんてもう沢山《たくさん》だ!!
守《まも》れたはずの人《ひと》が目《め》の前《まえ》で死《し》んで行《い》くのを見《み》るのは我慢《がまん》できない!!
カ

よく言《い》ったアルフォンス・エルリック
!!

!!
ゴォオォオ
ズ
なんですって!!
戦《いくさ》の主導権《しゅどうけん》を握《にぎ》るにはまず敵《てき》の機動力《きどうりょく》を削《そ》ぐ…

奇《き》襲《しゅう》も有《ゆう》効《こう》的《てき》だ
覚《おぼ》えておけ
ようやく跪《ひざます》いたな
人造人間《ホムンクルス》
ライターの打《う》ち石《いし》を火種《ひだね》にして……
素手《すで》に血《ち》の錬成陣《れんせいじん》!!
ガッ

あの傷《きず》と出血《しゅっけつ》でどうやって!!
焼《や》いて塞《ふさ》いだ!!
二《に》三《さん》度《ど》気《き》絶《ぜつ》しかけたがな……!!
大《たい》……
だめだ中《ちゅう》尉《い》!!

貴様《きさま》は
こう言《い》ったな
「まだまだ
死《し》なない」と
ドン
ならば
死《し》ぬまで
殺《ころ》すだけだ
ドドッ
ズッ

ドド
ドッ
こっ…
ドォッ
お……おおお
おお
ああああああ!!

完敗《かんぱい》よ
ボロッ
くやしいけど
貴方《あなた》みたいな男《おとこ》に殺《や》られるのも悪《わる》くない
その迷《まよ》いの無《な》い真《ま》っ直《す》ぐな目《め》
好《す》きよ
楽《たの》しみね
その目《め》が苦悩《くのう》にゆがむ日《ひ》は……
ザッ

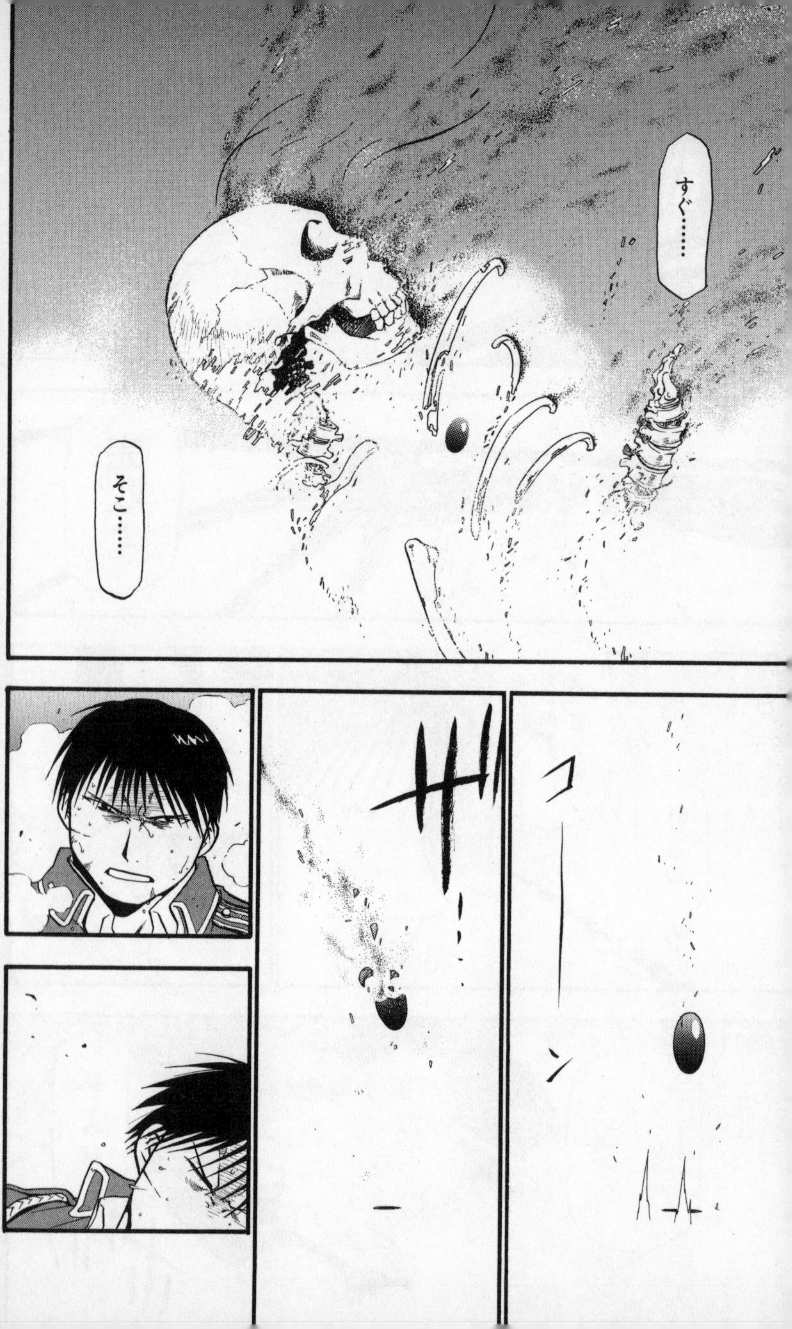
すぐ……
そこ……
コーン
ザ!!

大佐《たいさ》!!
しっかりしてください!!
ああ中尉《ちゅうい》無事《ぶじ》だったか
ご自分《じぶん》の心配《しんぱい》をなさってください!!
アルフォンス…私《わたし》の部下《ぶか》を守《まも》ってくれて礼《れい》を言《い》う
そんな事《こと》より早《はや》く医者《いしゃ》を!!
そうだ…早《はや》くハボックに医者《いしゃ》を呼《よ》んでやってくれ
たのむ…

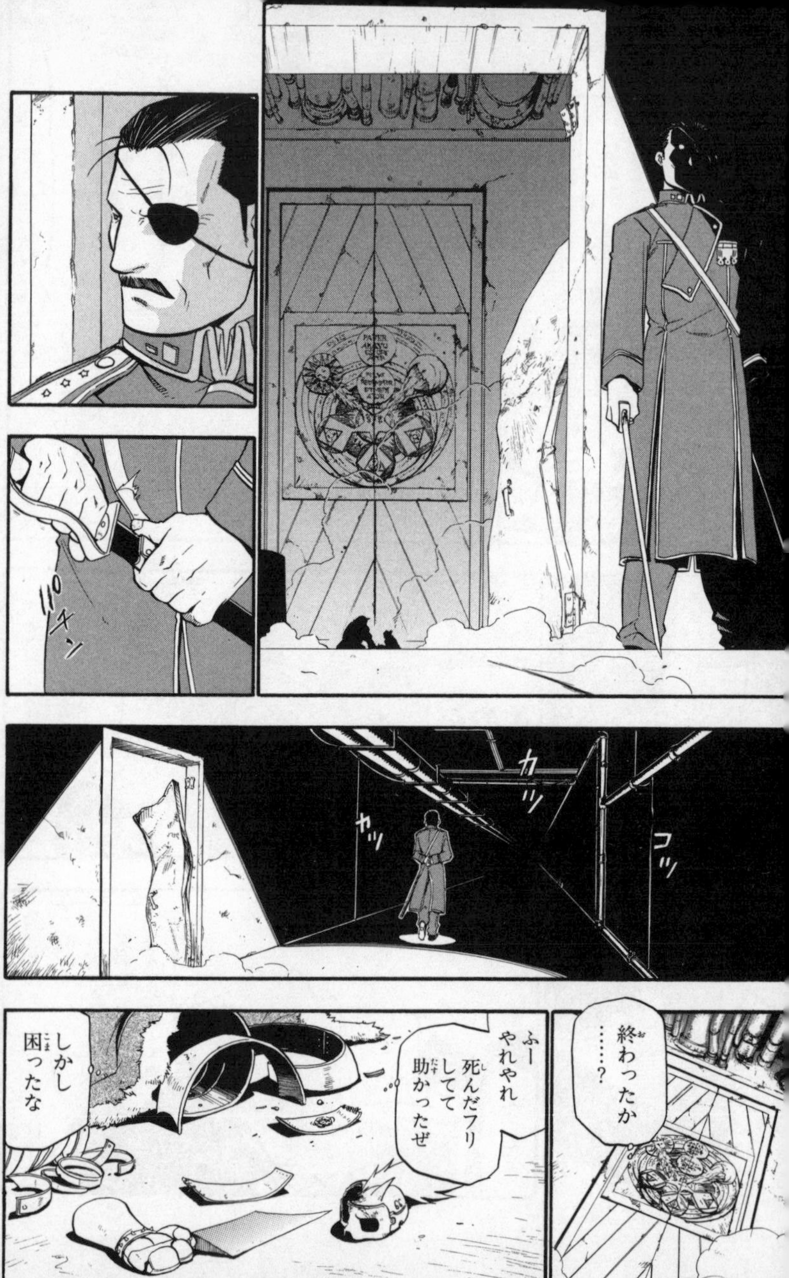
パキン
カッ
カッ
コッ
終《お》わったか……?
ふー やれやれ 死《し》んだフリしてて助《たす》かったぜ
しかし困《こま》ったな

ギリギリ セーフ!!
こんなナリじゃ動《うご》けねェし
誰《だれ》か直《なお》してくれねェかな……
…ってうおわ!?
ズッ
てめっ!まだ生《い》きて…
ちょっと…来《く》んなよ!!
ズッ ズルッ
うう う
おまっ…オレを誰《だれ》だと思《おも》ってんだ!!
バリー・ザ・チョッパーだぞ!!
中央《セントラル》を恐怖《きょうふ》におとしいれたこのバリー様《さま》が…
まだ殺《ころ》して殺《ころ》して殺《ころ》して
まてまてまてまて

まっ…
パキン
ドサッ
あ
閣下《かっか》!
カッ…
中《なか》はどうなっているのですか!?
救護車《きゅうごしゃ》を呼《よ》んでやれ
カッ
コッ
カッ
は…

二台《にだい》だ 急《いそ》げよ
カッ
カッ
ははっ!!
カッ…
ウー
ウー
カラン

お客様《きゃくさま》…
中《なか》に入《はい》って
お待《ま》ちに
なっては
いかがですか？
…じょうぶ
大丈夫《だいじょうぶ》…
大丈夫《だいじょうぶ》…！
ガシャン
？
ガシャン
ガシャン
ガシャン
！
ガシャーン
ガシャ
ガシャ
ガシャ

ガ
あ
シャーン
ア……
ボロッ
……ル
えーと
がしょん
ただいま
ずび

ばか！
おかえり！
いやぁ
へへ……
あは…
はははは
あ
ぼと
キャー!!
もげた、もげたっ!!
やばい 元にもどんない!!
兄さーん!!
HOT

リゼンブール〜〜〜
リゼンブールだぁよっと
駅長《えきちょう》さんこんちはー
よう…ってありゃ？弟《おとうと》はどうした？
セントラルに置《お》いて来《き》た
オレは誘拐《ゆうかい》されて来《き》た
？
なあ少佐《しょうさ》何企《なにたくら》んでるのかいいかげん話《はな》せよ
ん――？ふふふ
んだよ気色《きしょく》悪《わる》いなぁ
む！いたな

どうも
アームストロング少佐《しょうさ》
ピッ
——と
よう大将《たいしょう》
?
?
なんで
ブレダ少尉《しょうい》?

第《だい》40話《わ》
西《にし》の賢《けん》者《じゃ》

FULLMETAL
ALCHEMIST

オレの機械鎧《オートメイル》修理《しゅうり》に付《つ》いて来《く》る気《き》かよ？
そんな所《とこ》付《つ》いてく気《き》も連《つ》れてくヒマも無《な》い
？
こっち来《こ》い
カラーン
や
どーもー
出入国《しゅつにゅうこく》コーディネーターのミスター・ハンだ
よろしくネ
フーさんから話《はなし》は聞《き》いてるよ

フーって…あのじいさんか
さっそく出国《しゅっこく》のルートについてだが
出国《しゅっこく》？オレパスポート持《も》ってないよ
バカヤロパスポートがあったら足《あし》が付《つ》いちまうだろ
それって密《みつ》……
もが

…のヤローども
どがっ
何《なに》を企《たくら》んでるか知《し》らねーけどつまんねぇ事《こと》だったら承知《しょうち》しねーぞ!
で?
どこに行《い》く気《き》だ?
東《ひがし》だ!

なんでだ!!
なんで生《い》かして帰《かえ》した!!
奴《やつ》らこの近《ちか》くまで来《き》てしかもラストを殺《ころ》したんだぞ!!
おまえの役目《やくめ》は侵入者《しんにゅうしゃ》の始末《しまつ》だったろうが!!
ラスト……
ラスト死《し》んじゃった…
そうだ!奴《やつ》ら入院中《にゅういんちゅう》だろう!?
医療事故《いりょうじこ》にみせかけて殺《や》っちゃえよ!!
今《いま》からでも遅《おそ》くない!!
ここまでなめられっぱなしでいられるか!!
ラスト…
ラス……

ラース…
なぜ焔《ほのお》の錬金術師《れんきんじゅつし》を逃《に》がした
利用《りよう》できるから生《い》かして帰《かえ》しました

使《つか》えるか？
ロイ・マスタング…彼《かれ》は優《やさ》しすぎる…
それが強《つよ》さであり弱点《じゃくてん》でもあるのです
扉《とびら》を開《あ》けさせてみせましょう

任《まか》せたぞ
カッ
はっ
焔《ほのお》の錬金術師《れんきんじゅつし》はラースに一任《いちにん》する
あ……
…っ! おい ラース!
奴《やつ》ら本当《ほんとう》に生《い》かしておくつもりか!!
兵力《へいりょく》を削《そ》いで飼《か》い殺《ごろ》しにしておく
任《まか》せておけ

アルフォンス君《くん》！
フュリー曹長《そうちょう》！
お見舞《みま》いかい？
…ってどっちかと言《い》うと君《きみ》の方《ほう》が重傷《じゅうしょう》だよね
やっぱり目立《めだ》つかなぁはずかしいなぁ
名誉《めいよ》の負傷《ふしょう》だよはずかしがる事《こと》無《な》いさ
この馬鹿者《ばかもの》！
！

敵《てき》の言葉《ことば》を信《しん》じて戦意《せんい》喪失《そうしつ》だと!?
ホークアイ中尉《ちゅうい》ともあろう者《もの》があきれるな!
申《もう》し訳《わけ》ありません
うろたえるな!
思考《しこう》を止《と》めるな!
生《い》きる事《こと》をあきらめるな!!
軍人《ぐんじん》なら
私《わたし》の副官《ふくかん》ならもっと毅然《きぜん》としていろ
はい

引《ひ》き続《つづ》き私《わたし》の背中《せなか》を任《まか》せる
精進《しょうじん》しろ
大佐《たいさ》も人《ひと》の事《こと》言《い》えないでしょーが
司令官《しれいかん》がのこのこと戦場《せんじょう》に出《で》て来《き》ちまって
うるさいな!!
つ――…
あまり怒鳴《どな》らんでください
腹《はら》にひびく
貴様《きさま》それが命《いのち》の恩人《おんじん》に対《たい》する言葉《ことば》か
それは感謝《かんしゃ》してますがもうちょっと上手《うま》く焼《や》いてくださいよ
このヤケドっ腹《ばら》じゃ女《おんな》の子《こ》に嫌《きら》われちまう

ぜいたく言《い》うな! おまえはレア! 私《わたし》はミディアム! どうだ 私《わたし》の方《ほう》が ヒサンだろう!!
誰《だれ》が 焼《や》き加減《かげん》の話《はなし》を してますか!!
〜〜〜〜……
だいたい 何故《なぜ》この私《わたし》が 野郎《やろう》と 同部屋《どうべや》なのだ
ふつうは 美人看護師《びじんかんごし》付《つ》き 個室《こしつ》だろうが!
我慢《がまん》してください 敵《てき》が 寝首《ねくび》を掻《か》きに 来《く》るかもしれない 状況《じょうきょう》ですから 部屋《へや》は一緒《いっしょ》の方《ほう》が 護衛《ごえい》しやすいんです
それだ!
何故《なぜ》 奴《やつ》らは この絶好《ぜっこう》の機会《きかい》に 我々《われわれ》を殺《ころ》しに 来《こ》ない!?

人死《ひとじ》にが
いつ出《で》ても
おかしくない
この病院《びょういん》という場所《ばしょ》で…
何故《なぜ》だ？
お取《と》り込《こ》み中《ちゅう》
失礼《しつれい》します
お見舞《みま》いに
来《き》ました
アルフォンス君《くん》！
出歩《である》いて
大丈夫《だいじょうぶ》なの？
君《きみ》
命《いのち》を狙《ねら》われても
おかしくない
状況《じょうきょう》なのよ!?
大丈夫《だいじょうぶ》です
人造人間《ホムンクルス》の
気配《けはい》がわかる人《ひと》が
付《つ》いて来《き》てるんで
ダバ
ダバ
ダバ
人造人間《ホムンクルス》の気配《けはい》…？
どういう…？
ボクも
よく
わからない
中尉《ちゅうい》
少《すこ》しお休《やす》みに
なられては…
交替要員《こうたいよういん》を
呼《よ》びますから
大丈夫《だいじょうぶ》よ

これが私《わたし》の仕事《しごと》だから
大丈夫《だいじょうぶ》
それより頼《たの》んであった物《もの》は?
これです
ありがとう
人払《ひとばら》いお願《ねが》い
はい
なんだ?
第三研究所《だいさんけんきゅうじょ》の地下《ちか》に入《はい》ってから数《かぞ》えていた歩数《ほすう》と私《わたし》の歩行幅《ほこうはば》からおおよその距離《きょり》を出《だ》しました
第三研究所地下《だいさんけんきゅうじょちか》にあった大扉《おおとびら》までの距離《きょり》です
歩測《ほそく》ですけど
廊下《ろうか》が微妙《びみょう》にカーブしていたりして方角《ほうがく》がはっきりわからないので……
第三研究所《だいさんけんきゅうじょ》を中心《ちゅうしん》に円《えん》を描《か》いてみたのですけれど

よし！よくやった！
おそれいります
ふむ……
大佐《たいさ》これ！
第二研究所《だいにけんきゅうじょ》が範囲《はんい》に入《はい》ってる
まてまて
もっと面白《おもしろ》い所《ところ》があるぞ
中央《ちゅうおう》指令部《しれいぶ》外郭《がいかく》………
大総統府《だいそうとうふ》もギリギリとどいている

大総統《だいそうとう》が
人造人間《ホムンクルス》と
つながっている
可能性《かのうせい》も有《あ》りか？
でも…
ダブリスで
人造人間一味《ホムンクルスいちみ》を
掃討《そうとう》したのは
大総統《だいそうとう》が率《ひき》いる
部隊《ぶたい》だった
少佐《しょうさ》も一緒《いっしょ》に
闘《たたか》ってるよ
グリードという
人造人間一味《ホムンクルスいちみ》を
軍《ぐん》の中枢《ちゅうすう》に
害《がい》なす輩《やから》と
みなして
掃討《そうとう》したと？
そう
殲滅《せんめつ》ってところが
腑《ふ》に落《お》ちないん
だけど…
………
我々《われわれ》に
救護車《きゅうごしゃ》を
呼《よ》んでくれたのが
大総統《だいそうとう》だったな
そう
聞《き》いてます

味方《みかた》と見《み》て良《よ》いか……？
ヒューズは「軍《ぐん》がやばい」と言《い》っていたから…
みんな元気でよかった
タフさがとりえだからねー
軍《ぐん》の存在《そんざい》をおびやかす規模《きぼ》の組織《そしき》と考《かんが》えるのが妥当《だとう》だろう
上層部《じょうそうぶ》のどこまで入《はい》り込《こ》んでいるかわからんが楽観視《らっかんし》できない事《こと》は確《たし》かだ
しかし敵《てき》を引《ひ》きずり出《だ》し一掃《いっそう》する事《こと》ができれば…
うむ
この国《くに》を一気《いっき》に駆《か》け上《あ》がる事《こと》ができる

バリーを留置所《りゅうちじょ》に行《い》かせた時《とき》は軍《ぐん》とつるんで暗躍《あんやく》する奴《やつ》らの尻尾《しっぽ》でも摑《つか》めれば上々《じょうじょう》と思《おも》っていたが…
予想外《よそうがい》のでかいのが釣《つ》れたな
大《おお》きすぎる気《き》もしますが
戦《や》り甲斐《がい》があっていいだろう
引《ひ》き続《つづ》き君達《きみたち》にはバリバリと働《はたら》いてもらうぞ
いいな?
信用《しんよう》できる手駒《てごま》をもう少《すこ》し増《ふ》やしていただけるとありがたいのですけど
あー……その件《けん》ですが
俺《おれ》一《いち》抜《ぬ》けさせてもらいます

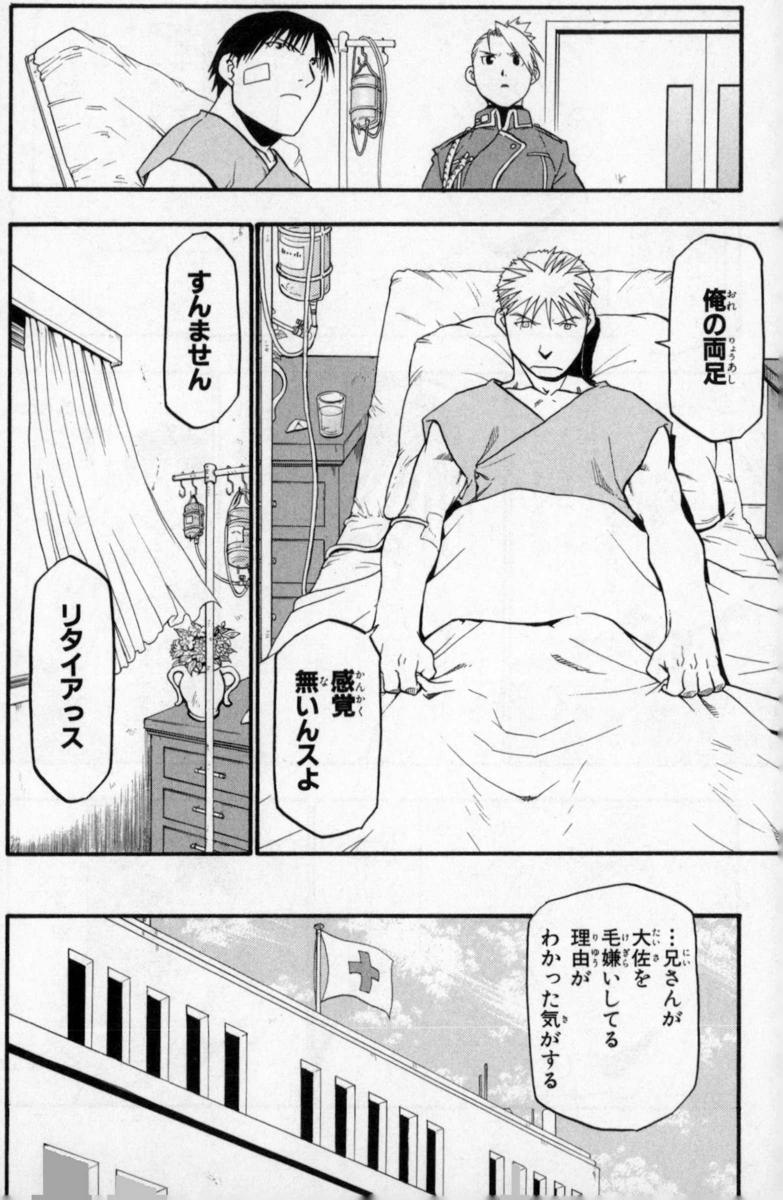
俺《おれ》の両足《りょうあし》
感覚《かんかく》無《な》いんスよ
すんません
リタイアっス
…兄《にい》さんが大佐《たいさ》を毛嫌《けぎら》いしてる理由《りゆう》がわかった気《き》がする

普段《ふだん》は理不尽《りふじん》な事《こと》も呑《の》み込《こ》んで口《くち》では目的優先《もくてきゆうせん》って言《い》ってるけど
いざ身内《みうち》の事《こと》となるとあぶなっかしい位《くらい》自分《じぶん》の事《こと》をかえりみなくなる
兄《にい》さんとすごく似《に》てるんだ
同族嫌悪《どうぞくけんお》?
あはははははは
子供《こども》だよね〜〜〜
ぷっ
そう言《い》うアルフォンス君《くん》は大人《おとな》かい?
大人《おとな》だったら…
禁忌《きんき》を犯《おか》してまで元《もと》の身体《からだ》に戻《もど》ろうなんて考《かんが》えないよ

あぢ———
あぢ———
あ———ぢ———
若者《わかもの》がなんとだらし無《な》い！
ザク
ザク
あのな！こちとら鋼《はがね》の手足《てあし》ぶら下《さ》げてんだぞ
ザク
ザク
熱《ねつ》がこもってヤケドしそうなんだよ！
シュー…
おおそうか失礼《しつれい》した
ハンさん目的地《もくてきち》はまだですかね
ザク
うん
ザク
ザク
もうとっくに国《くに》には入《はい》ってんだけどね
見《み》てみな

あれが クセルクセス遺跡《いせき》の 中心《ちゅうしん》
かつて 栄華《えいが》を極《きわ》めた 王国《おうこく》の市街地《しがいち》も 今《いま》は東西《とうざい》を行《い》き来《き》する キャラバンの中継地《ちゅうけいち》に なっているだけだ
待《ま》っていたゾ
やあ フーさん
?
なんで小僧《こぞう》も 一緒《いっしょ》にいるのダ
そりゃこっちの台詞《せりふ》だ なんでじじいがここに いるんだとかなんで オレがこんな辺境《へんきょう》まで 連《つ》れて来《こ》られにゃならん のだとか色々《いろいろ》訊《き》きたい けどとりあえず水《みず》!!
む… なんか わからんが スマン

クセルクセスってーと「東《ひがし》の砂漠《さばく》の賢者《けんじゃ》の話《はなし》」でしか知《し》らなかった
東《ひがし》の賢者《けんじゃ》カ?
そう
オレ達《たち》の国《くに》に錬金術《れんきんじゅつ》を伝《つた》えた術師《じゅつし》のおとぎ話《ばなし》
一夜《いちや》にして滅《ほろ》んだクセルクセス王国《おうこく》の生《い》き残《のこ》りが建国《けんこく》から間《ま》もなかった頃《ころ》のアメストリスに流《なが》れついて錬金術《れんきんじゅつ》を広《ひろ》めた
…って伝説《でんせつ》
我々《われわれ》の国《くに》…シンから見《み》て西方《せいほう》から流《なが》れついた錬金術師《れんきんじゅつし》の話《はなし》があル
似《に》た話《はなし》はどこにでもあるものだナ
我々《われわれ》の国《くに》では「西《にし》の賢者《けんじゃ》」と言《い》われていル
その賢者《けんじゃ》が来《き》てから我《わ》が国《くに》の錬金術《れんきんじゅつ》は飛躍的進歩《ひやくてきしんぽ》を遂《と》げタ

そちらさんの錬金術《れんきんじゅつ》って医学方面《いがくほうめん》が得意《とくい》だっけ
うム
とは言《い》っても古来《こらい》のそれは妄想《もうそう》と想像《そうぞう》の産物《さんぶつ》でとても錬金術《れんきんじゅつ》とよべる代物《しろもの》ではなかっタ
?
水銀《すいぎん》に不老不死《ふろうふし》の効果《こうか》があると信《しん》じて飲《の》み続《つづ》け三代《さんだい》にわたって水銀中毒《すいぎんちゅうどく》で死《し》んだ皇族《こうぞく》の話《はなし》もある程《ほど》ダ
そこに西《にし》から来《き》て錬金術《れんきんじゅつ》を伝《つた》えた偉人《いじん》がいタ
彼《かれ》の技術《ぎじゅつ》と古来《こらい》よりシンに伝《つた》わる技術《ぎじゅつ》が合《あ》わさり今《いま》の錬丹術《れんたんじゅつ》となったらしイ
我々《われわれ》は彼《かれ》の事《こと》を尊敬《そんけい》をもって呼《よ》んでいル
「西《にし》の賢者《けんじゃ》」…ト

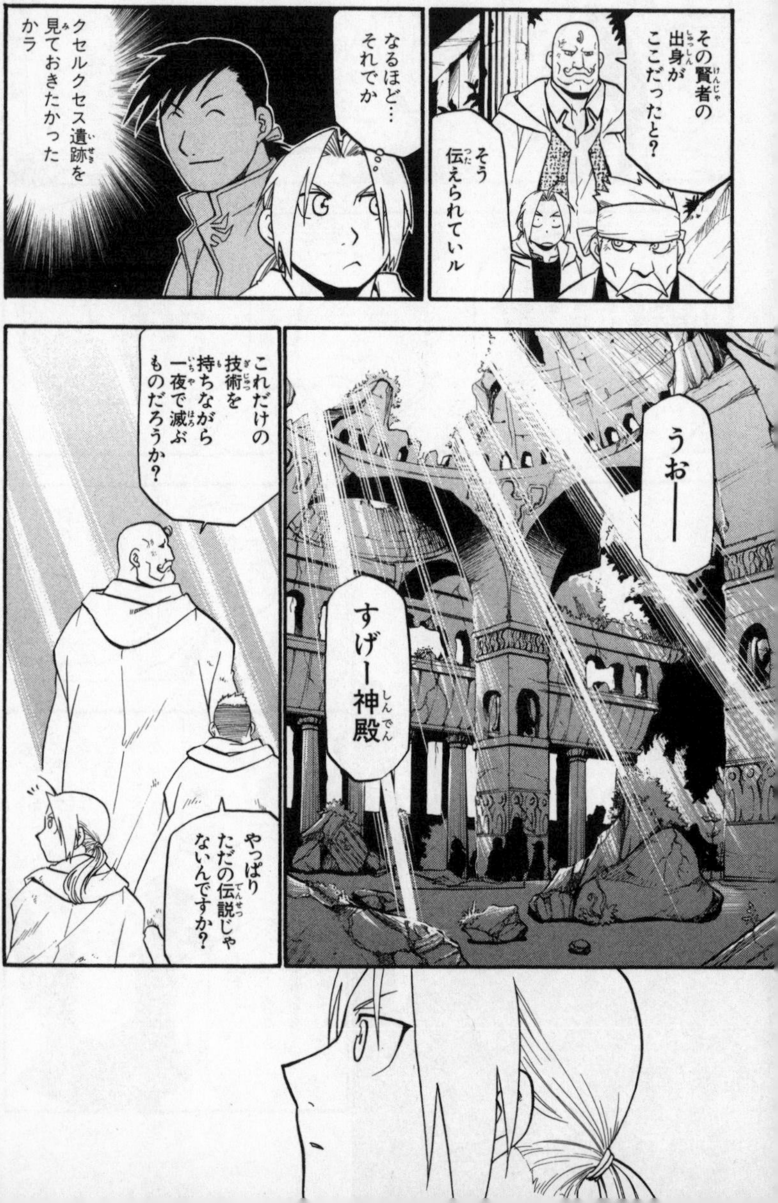
その賢者《けんじゃ》の出身《しゅっしん》がここだったと？
そう伝《つた》えられていル
なるほど…それでか
クセルクセス遺跡《いせき》を見《み》ておきたかったかラ
うおーー
すげー神殿《しんでん》
これだけの技術《ぎじゅつ》を持《も》ちながら一夜《いちや》で滅《ほろ》ぶものだろうか？
やっぱりただの伝説《でんせつ》じゃないんですか？

何《なに》をしていル
こっちダ
あ…
うん
ずいぶん奥《おく》まで行《い》くんだな
女《おんな》一人《ひとり》で目立《めだ》つ所《ところ》にいては危険《きけん》だからナ
女《おんな》？
ここダ
私《わたし》がいた東部《とうぶ》あそこはいいぞ
あ……

都会《とかい》の
喧噪《けんそう》も無《な》いし
エドワード
君《くん》!?
!
……ンの
クソ大佐《たいさ》…!!
何《なに》より
美人《びじん》が多《おお》い

心配《しんぱい》したぞ
ロス少尉《しょうい》
ーーッ!!!
よくぞ
無事《ぶじ》で!!
がば
さっ
じり
じり
じり
じり
セクハラでうったえますよ
死《し》んだはずの人間《にんげん》が国内《こくない》にいちゃどこでバレるかわかんねぇからよ
国外《こくがい》に出《だ》しちまうのが一番安全《いちばんあんぜん》だわな

ヒューズ中佐《ちゅうさ》を殺《ころ》したのはロス少尉《しょうい》じゃないよな!?
本人《ほんにん》に訊《き》いてみな
大佐《たいさ》はそれをわかってて…?
だいたい怪《あや》しまない方《ほう》がおかしいっての
大勢《おおぜい》の目《め》の前《まえ》でこれ見《み》よがしに連行《れんこう》するわ
軍《ぐん》にとって不名誉《ふめいよ》である同僚殺《どうりょうごろ》しをでかでかと新聞《しんぶん》に出《だ》すわ…
パフォーマンスが過《す》ぎたってこった
ガッ
シュ
リゼンブール〜〜〜
リゼンブールだぁよっと

ただいま
はい
おかえり
ん?
ただいま
はい
おかえりなさ……
……
誰《だれ》だっけ?
あ

ああ!!
カサ!

パラ…
Jan '10
Jan '10
Oct '11
ぱらり
ぱら
ぱらり
パラ…
Apr '03
Dec '06
ar '05
'00

パラ…
ゴッ
!!
ガばっ
ウウ
ウウウ
デン？
客《きゃく》かい？
ゴッ
ゴッ
ギィィィィ
ウウウウウウウ

ギィィィィィ
ピナコ
ィィィ
俺《おれ》の家《いえ》が無《な》い
……ホーエンハイム……!!

わう
わう
わう
わう
わう
ごめんな
驚《おどろ》かせて
ギャワン
これ
デン！
わう
わう
わう
……昔《むかし》から
動物《どうぶつ》には
嫌《きら》われてばかりだ
ギャン
ギャン

ザ…
ザアッ!
バラ
バラ
Mar '93
バラッ
バララ…
パラ…
ほんとに…
May '72
May '93

Sep '66
昔《むかし》から何《なに》ひとつ変《か》わらないねあんたは

ダミーちゃん♡

第《だい》41話《わ》
小《ちい》さな人《にん》間《げん》の傲《ごう》慢《まん》な掌《てのひら》

FULLMETAL
ALCHEMIST

どう思《おも》う？
バサ
Central Times
ああ
聞《き》いてますよ
マリア・ロス少尉《しょうい》
……動《うご》きが
派手《はで》すぎや
しませんかね
Central Times
Central Time
うむ……
ファルマン准尉《じゅんい》
から
一般回線《いっぱんかいせん》で
通信《つうしん》です
つなげ

大佐《たいさ》！ヒューズ准将《じゅんしょう》殺害《さつがい》の件《けん》ですが…
ようファルマンちょいと電話《でんわ》貸しな
いよぉマスタングさん！新聞《しんぶん》見《み》たかい？面白《おもしろ》い話《はなし》があんだけどよ
なんだとバ…
やあバーニーか久《ひさ》しぶりだな
ファルマンにねだって仕事場《しごとば》まで電話《でんわ》をかけてくるとはそんなに私《わたし》の事《こと》が好《す》きかねはっはっは
いやしかし困《こま》ったな軍《ぐん》の回線《かいせん》を私用《しよう》に使《つか》うのはいただけない
やーんごめんなさーい
バーニーちょっとマスタングさんとお話《はな》ししたかっただけなの
ふたりの将来《しょうらい》にかかわる大事《だいじ》なお・は・な・し♡

しょうがないな
外《そと》の電話《でんわ》からかけ直《なお》すよ
待《ま》っててくれ
は〜〜い♡
リリリン
ガチャ
私《わたし》だ
アホなマネさせんじゃねェよボケナス
いや おまえが機転《きてん》のきく奴《やつ》で助《たす》かったよ
軍《ぐん》の回線《かいせん》だと盗聴《とうちょう》のおそれがあるからな
さっきの話《はなし》の続《つづ》きだがな
マリア・ロスを留置所《りゅうちじょ》から出《だ》してやるよ
どうやってだ?
正面《しょうめん》から堂々《どうどう》とだよ
げっへっへ

ああ…ああそうだ
うん
?
?
ああ あの倉庫街《そうこがい》なら2番通路《ばんつうろ》がいいぜ
うす暗《ぐら》くて人《ひと》を殺《ころ》すにゃいい場所《ばしょ》だ
憲兵《けんぺい》や一般人《いっぱんじん》は殺《ころ》すなよ
わかってるよ 姉《あね》さんにゃ怒《おこ》られたくねェからな
さて まず何《なに》から始《はじ》めようか
そうだな まず……
なんだ?
ファルマンは殺人鬼《さつじんき》に監禁《かんきん》されている事《こと》に…
なんの音《おと》だ?
説明《せつめい》すンの面倒《めんどう》くせェから気絶《きぜつ》してもらった
よし…
…そうか

ブレダ
大至急《だいしきゅう》
ここにある物《もの》を
集《あつ》めろ
豚《ぶた》の骨《ほね》と肉《にく》…
炭素《たんそ》…
アンモニア…
石灰
リン
イオウ
なんですか?
焼死体《しょうしたい》をひとつ
でっちあげる
じっ…
人体錬成《じんたいれんせい》!?
バカ言《い》うな
あくまで
「人間《にんげん》の焼死体《しょうしたい》の
ようなもの」だ
完全《かんぜん》な人体《じんたい》である
必要《ひつよう》は無《な》いから
内臓《ないぞう》や諸器官《しょきかん》も
適当《てきとう》でいい
そんなもん
検屍《けんし》に出《だ》されたら
一発《いっぱつ》でバレますよ!
鑑定《かんてい》など
できない位《くらい》
ケシ炭《ずみ》にする
歯《は》の治療痕《ちりょうこん》で
判断《はんだん》されたら
どうするんですか
ロス少尉《しょうい》の
歯科《しか》カルテの
写《うつ》しは
ホークアイ中尉《ちゅうい》が
入手済《にゅうしゅず》みだ

人間《にんげん》の歯《は》の主成分《しゅせいぶん》はカルシウムとリンあと少々《しょうしょう》のナトリウム等《など》
そして治療《ちりょう》に使《つか》われる金歯《きんば》・銀歯《ぎんば》…
材料《ざいりょう》さえ揃《そろ》えば錬成《れんせい》は容易《たやす》い
……錬成《れんせい》できるんですか？
専門《せんもん》ではないがそれなりに知識《ちしき》は持《も》っている
焼死体《しょうしたい》を作《つく》るのは得意《とくい》だ
急《いそ》げ
その後《あと》留置所《りゅうちじょ》でバリーと不法入国《ふほうにゅうこく》で捕《つか》まっていた若《わか》が遭遇《そうぐう》し取《と》り引《ひ》きしタ

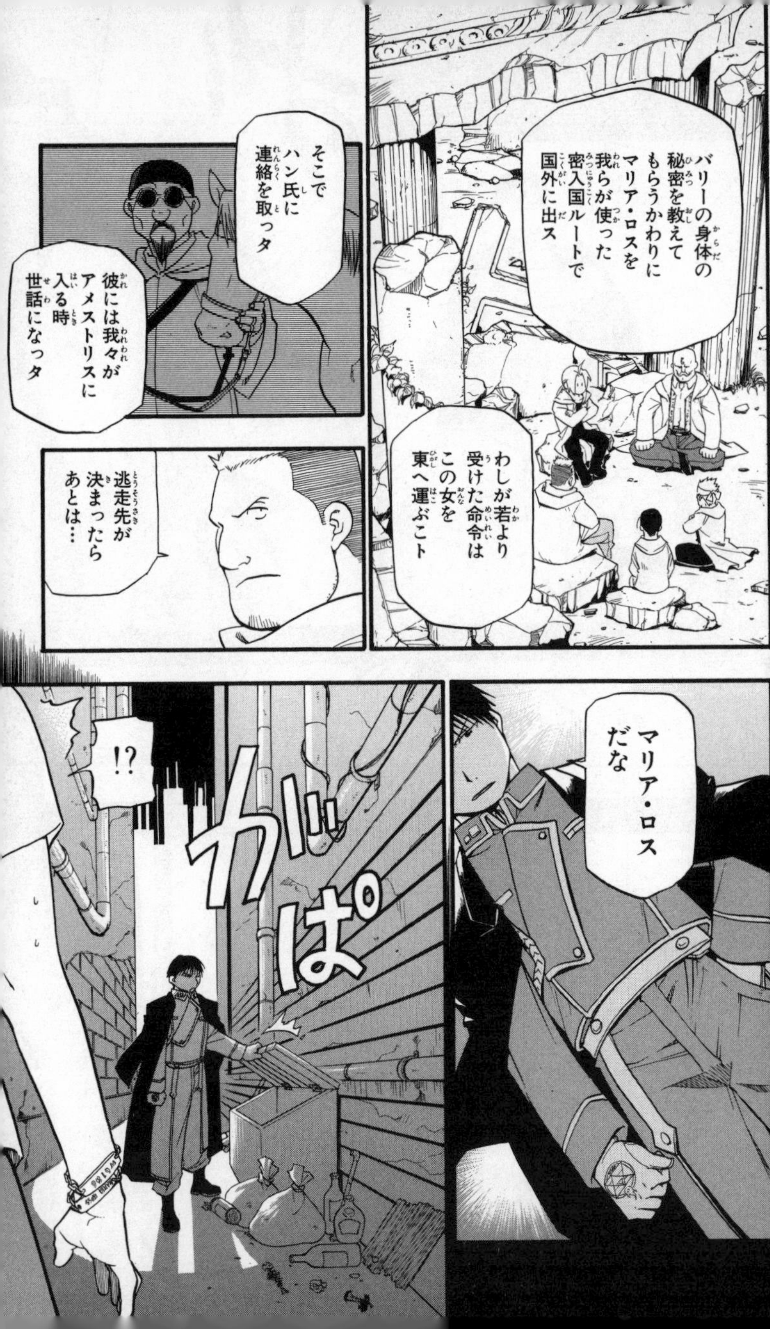

バリーの身体《からだ》の秘密《ひみつ》を教《おし》えてもらうかわりにマリア・ロスを我《われ》らが使《つか》った密入国《みつにゅうこく》ルートで国外《こくがい》に出《だ》ス
わしが若《わか》より受《う》けた命令《めいれい》はこの女《おんな》を東《ひがし》へ運《はこ》ぶこト
そこでハン氏《し》に連絡《れんらく》を取《と》っタ
彼《かれ》には我々《われわれ》がアメストリスに入《はい》る時《とき》世話《せわ》になっタ
逃走先《とうそうさき》が決《き》まったらあとは…
マリア・ロスだな
がぱ
!?

するぅ
ひっ!!
ダミーだ
は!?
ドサッ
君《きみ》は今夜《こんや》ここで死《し》ぬ
は……
ブス ブス
カツ
カツ
カツ
ぼさっとするな
グイッ
え? え?

わわっ
わ……
し
早《はや》く！
…っと
失礼《しつれい》
ブチーン
大佐《たいさ》！
む

おっと
W 6186
MARIA ROSS
これを忘《わす》れてはいかん
これで良《よ》し……と
?
……!
ありゃ?
どういう事だ説明しろ
鋼《はがね》の大将《たいしょう》?
まいったな…予定外《よていがい》だ
なんでだまってた!!
まぁ大佐《たいさ》がなんとかしてくれるだろう
行《い》くぞ
そのままファルマンがいるアパート近《ちか》くのスラムに潜《ひそ》んで待機《たいき》

そこで
じいさんと
落《お》ち合《あ》った
やっ
私《わたし》はそのまま
フーさんに同行《どうこう》
ここで
合流《ごうりゅう》する
約束《やくそく》をして
俺《おれ》は別行動《べつこうどう》
我輩《わがはい》は
「リゼンブールで
待《ま》つ」とだけ
ブレダ少尉《しょうい》から
連絡《れんらく》を受《う》けてな
エドワード・エルリックの
機械鎧《オートメイル》修理《しゅうり》を理由《りゆう》に
ごく自然《しぜん》に
移動《いどう》してみせた訳《わけ》だ
拉致《らち》り方《かた》が
自然《しぜん》じゃ
ねえっつーの
さて…
とにかく
情報《じょうほう》が欲《ほ》しい
こっちは
大佐《たいさ》が得《え》た情報《じょうほう》を
あずかって来《き》た
お互《たが》い
隠《かく》し事《ごと》無《な》しで
情報交換《じょうほうこうかん》といこう

こんな感《かん》じか？
そうそう
このエンヴィーってのがエドワード君《くん》を運《はこ》んで来《き》た人《ひと》ね
う――ん
人造人間《ホムンクルス》など本当《ほんとう》に存在《そんざい》するのカ？
このボンキュってのが「ラスト」？
そう言《い》いたい気持《きも》ちもわかる
そのダブリスのグリード一味《いちみ》皆殺《みなごろ》しってのも気《き》になるな
でもこうして考《かんが》えれば考《かんが》えるほど………
それとドクター・マルコーにも一度《いちど》会《あ》ってみる価値《かち》がありそうだ
賢者《けんじゃ》の石《いし》とか無関係《むかんけい》よね私《わたし》
なんで巻《ま》き込《こ》まれなきゃならないのよ
ビンボーくじ引いたナ

本当《ほんとう》に
ヒューズ准将《じゅんしょう》を殺《ころ》してないんだろうな
当《あ》たり前《まえ》でしょう!!
そうか
よかったよ
こいつを使《つか》う事《こと》にならなくて
？
万《まん》が一《いち》ロス少尉《しょうい》が犯人《はんにん》だったら
情報《じょうほう》を訊《き》き出《だ》した後《あと》に撃《う》ち殺《ころ》すよう大佐《たいさ》から命《めい》じられていた
……………
ヒューズ中《ちゅう》……准将《じゅんしょう》…
本当《ほんとう》に死《し》んじまったんだなぁ…

オレ本当《ほんとう》に
奥《おく》さんに
なんて言《い》っていいか
わかんなかった
夫人《ふじん》に
会《あ》ったのか?
事件《じけん》のあらましを
説明《せつめい》して
その…
謝《あやま》りに…
ゴン
…の馬鹿《ばか》!!
びっ!!
被害者家族《ひがいしゃかぞく》に
事件《じけん》の裏側《うらがわ》を
教《おし》える事《こと》が
どんな危険《きけん》な事《こと》か
わかってんのか
ええ この豆《まめ》はよ!!
ぎりぎり
ぎりぎり
はっ!!
あーもう
後先考《あとさきかんが》えねー
馬鹿《ばか》ガキは
嫌《きら》いだ!!
だ…
だってよぉ…!!
信じらんね――!!
で?
なんて言《い》われた?
あう…

……「納得《なっとく》する方法《ほうほう》で前《まえ》へ進《すす》め」って言《い》われた
どうする？
禁忌《きんき》を犯《おか》したオレ達《たち》に協力《きょうりょく》してくれる人達《ひとたち》がいる
怒《おこ》ってくれる人《ひと》がいる
だまって支《ささ》えてくれる人《ひと》がいる
二人《ふたり》で元《もと》の身体《からだ》に戻《もど》ろうと約束《やくそく》した弟《おとうと》がいる
そして事件《じけん》の事《こと》を知《し》ってしまって後戻《あともど》りできない状況《じょうきょう》にある

ならば
前《まえ》に進《すす》むしかないじゃないか！

もう誰《だれ》一人《ひとり》失《うしな》わない方法《ほうほう》で
もし目《め》の前《まえ》で誰《だれ》かが犠牲《ぎせい》になったらオレが守《まも》る
難《むずか》しい事《こと》かもしれない
この手《て》で守《まも》れるものなんて自分《じぶん》の身《み》ひとつで一杯《いっぱい》なのに更《さら》に他《ほか》のものまで守《まも》ろうだなんてただの傲慢《ごうまん》かもしれない
でも身《み》の程《ほど》知《し》らずと言《い》われようとも今《いま》のオレにはこれしか思《おも》いつかない
……やっぱオレ
馬鹿《ばか》か
ああまったく馬鹿《ばか》でごーまんなガキだ
ブレダ少尉《しょうい》!

だがそういう真《ま》っ直《す》ぐ馬鹿《ばか》は嫌《きら》いじゃない
せいぜい気《き》張《ば》れや
これからどうする？
その事《こと》ですけど…
我《わ》が国《くに》に来《き》てもらう事《こと》になっていル
シンに!?
うム

さっきも言《い》っただろウ
この女《おんな》を東《ひがし》に逃《に》がしてやると若《わか》がバリーと約束《やくそく》したのダ
いつまでもここにいる訳《わけ》にいかないしかと言《い》って国《くに》にも戻《もど》れないしね
心配《しんぱい》するなシンの人間《にんげん》は盟約《めいやく》は必《かなら》ず守《まも》ル
この者《もの》の衣食住《いしょくじゅう》全《すべ》て我《われ》ら一族《いちぞく》にまかせロ
せめておぬしの両親《りょうしん》にだけでも無事《ぶじ》を知《し》らせておくか？
いえ
万《まん》が一《いち》私《わたし》が生《い》きている事《こと》が両親《りょうしん》の口《くち》から漏《も》れれば取《と》り返《かえ》しのつかない事《こと》になりますから

人《ひと》を殺《ころ》した娘《むすめ》を持《も》った親《おや》として辛《つら》い日々《ひび》を送《おく》る事《こと》になると思《おも》いますが仕方《しかた》ありません
ブロッシュ軍曹《ぐんそう》も心配《しんぱい》して落《お》ち込《こ》んでおったが
ダメですよ!! 軍曹《ぐんそう》はすぐ顔《かお》に出《で》るから教《おし》えちゃダメです!!
はは…
ずび
元気《げんき》でな
アームストロング少佐《しょうさ》
ブレダ少尉《しょうい》
マスタング大佐《たいさ》に伝《つた》えていただけますか
あのままだったら策《さく》にはまって殺《ころ》されていた私《わたし》を生《い》かして逃《に》がしてくださった事《こと》に感謝《かんしゃ》します
もし有事《ゆうじ》の際《さい》は遠慮《えんりょ》なく呼《よ》び戻《もど》してください

ビッ
恩《おん》に報《むく》いるため
その時《とき》が来《き》たら
命《いのち》をかけて
働《はたら》かせていただきます！
うむ！
ビシッ
我々《われわれ》も
おぬしが
大手《おおて》をふって
帰《かえ》って来《こ》れる
国《くに》になるよう
つとめよう
！
エドワード君《くん》
元気《げんき》でね

ビンタの借《か》り…
ぎゅっ
返《かえ》せなかった
また今度《こんど》ね
ああ
また今度《こんど》
良《よ》い仲間《なかま》を持《も》ったナ
ザク
ザク
フーさん
ザク
シンはどんな国《くに》ですか
ザク
ザク

人《ひと》も食物《しょくもつ》も
豊《ゆた》かで
懐《ふところ》の深《ふか》い
良《よ》い国《くに》ダ
ザク
ザク
ザク
安心《あんしん》
するが良《よ》イ
この砂漠《さばく》を越《こ》えたら
楽園《らくえん》があると
思《おも》っていいんですね
うム
……ただし
この砂漠越《さばくご》えが
なかなか
苛酷《かこく》でナ
気《き》をつけろヨ
今《いま》から
あまり
水分《すいぶん》を
浪費《ろうひ》するナ

さて 我々《われわれ》も早々《そうそう》に 戻《もど》らねばな
砂漠《さばく》を とんぼ返《がえ》りか… きっついな～
あ! 待《ま》った!
なんだ?
ちょっと 気《き》になる事《こと》が あってさ
ここで 待《ま》ってて くれないか
?
調《しら》べもの!
すぐ 戻《もど》る!

タッ
錬成陣《れんせいじん》…
…とは違《ちが》う？

二頭《にとう》の竜《りゅう》
太陽《たいよう》が五《いっ》つ…か?
第五研究所《だいごけんきゅうじょ》にあった錬成陣《れんせいじん》と似《に》てるけど…
あーくそ!
上《うえ》の方《ほう》欠《か》けててわかんねーや
ひた…
もぎゃー!!

ひょい
!?
ガッ
あっ…ぐ!!
何《なに》か用《よう》かい?
言《い》っとくけど
金《かね》は持《も》って…

!
ジリ……
イシュヴァール人《じん》か……!!
悪《わる》いが大人《おとな》しく捕《つか》まってくれないか
あいにく身《み》の代金《しろきん》を要求《ようきゅう》しようにも両親《りょうしん》いないんだよねオレ
金《かね》ではない

イシュヴァール閉鎖地区《へいさちく》の解放《かいほう》
およびイシュヴァラの聖地《せいち》を踏《ふ》みにじる国軍《こくぐん》の撤退《てったい》を要求《ようきゅう》するために人質《ひとじち》になってくれんか少年《しょうねん》よ
バカバカしい
あの軍《ぐん》がこんなガキ一人《ひとり》の命《いのち》に指一本《ゆびいっぽん》たりとも動《うご》かす訳《わけ》無《ね》えだろ
世論《よろん》は変《か》えられるかもしれん
子供《こども》を見殺《みごろ》しにしたアメストリス軍《ぐん》……とな
イシュヴァール内乱《ないらん》も引《ひ》き鉄《がね》は一人《ひとり》の子供《こども》の死《し》だった
何《なに》が歴史《れきし》を変《か》えるきっかけになるかわからんのだよ少年《しょうねん》
やめんか見苦《みぐる》しい

ガッ
シャン様《さま》…
馬鹿者《ばかもの》が イシュヴァラの名《な》を 辱《はずか》める気《き》か
君《きみ》 その人《ひと》 放《はな》してあげて
もう 襲《おそ》ったり しないから
すまんね 若《わか》い者達《ものたち》が 無礼《ぶれい》を はたらいて
いや
イシュヴァール人《じん》が アメストリス人《オレたち》を 憎《にく》んでるのは よく知《し》ってる
ああ
我々《われわれ》の 全《すべ》てを奪《うば》い この荒野《こうや》へ 追《お》いやった お前達《まえたち》を 許《ゆる》す事《こと》は できない

じゃあなんで助《たす》けたんだよ
その大嫌《だいきら》いなオレ達《たち》をよ
全《すべ》てのアメストリス人《じん》が悪《わる》い奴《やつ》ではない事《こと》を知《し》っとるからじゃよ
奴《やつ》らに命《いのち》を助《たす》けられた事《こと》がある
へえ…！
シャン様《さま》も僕《ぼく》もあの内乱《ないらん》で死《し》にそうな怪我《けが》をした時《とき》にアメストリスの医者《いしゃ》に助《たす》けられた
イシュヴァールがあんなになってしまって正直《しょうじき》君達《きみたち》が憎《にく》いけど
今《いま》僕《ぼく》が生《い》きていられるのもその医者《いしゃ》のおかげだ
全《すべ》てを憎《にく》む事《こと》はできない

――間接的《かんせつてき》に オレも その医者《いしゃ》に 助《たす》けられた事《こと》に なるのかな
医者《いしゃ》か……
オレの知《し》ってる 医者夫婦《いしゃふうふ》も 内乱《ないらん》の時《とき》 イシュヴァールに 行《い》ってたよ
医者夫婦《いしゃふうふ》って……
ひょっとして ロックベル先生《せんせい》か!?
え? 知《し》ってんのか?
知《し》ってるも何《なに》も 僕達《ぼくたち》を 助《たす》けてくれた その先生《せんせい》だ!

君《きみ》 先生《せんせい》の知《し》り合《あ》いだったのか!
こんな所《ところ》で思《おも》わぬ縁《えん》だ!
「私達《わたしたち》には君《きみ》くらいの年《とし》の娘《むすめ》がいるんだ」って親身《しんみ》にみてくれたよ
ロックベル先生の?
知り合い?
ずっとお礼《れい》を言《い》いたかった!
そうか……
ロックベルのおじさんとおばさんが…
内乱《ないらん》が悪化《あっか》してイシュヴァール人殲滅《じんせんめつ》の命《めい》が国《くに》から出《で》た後《あと》も現場《げんば》に踏《ふ》み止《とど》まって最期《さいご》まで人々《ひとびと》を助《たす》けておったよ
……どんな最期《さいご》だった?

ロックベル夫婦《ふうふ》は…
助《たす》けた患者《かんじゃ》に…
イシュヴァール人《じん》に殺《ころ》された
…そんな
理《り》不《ふ》尽《じん》な事《こと》があるかよ……
すまない

我々《われわれ》はあれを止《と》められなかった
どこのどいつだ
顔《かお》は包帯《ほうたい》だらけでわからなかった
右腕《みぎうで》に入《い》れ墨《ずみ》のあるイシュヴァールの武僧《ぶそう》だ

殲滅戦《せんめつせん》が始《はじ》まって間《ま》もなくの事《こと》だ
その後《ご》すぐその病院《びょういん》にも軍《ぐん》の手《て》が伸《の》びて来《き》て我々《われわれ》は命《いのち》からがら逃《に》げのびた
その武僧《ぶそう》はそれっきり見《み》ない
そうか…
帰《かえ》るのか
ああ仲間《なかま》を待《ま》たせてある
もし機会《きかい》があったらロックベル夫妻《ふさい》の墓前《ぼぜん》に報告《ほうこく》をしておいてくれるか
感謝《かんしゃ》と
謝罪《しゃざい》とを
わかった

必《かなら》ずするよ
我々《われわれ》はこのまま中央《セントラル》に戻《もど》る
ああ
オレはばっちゃんちでこれ直《なお》してから戻《もど》るよ
おおそうだったな
じゃ
あ
そうだ

行《い》きがけにおじさんとおばさんの墓《はか》に寄《よ》ってくか
誰《だれ》だ？
母《かあ》さんの墓《はか》の前《まえ》に…

掲載・月刊少年ガンガン平成16年9月号〜12月号

鋼の錬金術師10　おわり

おまけ

もしもエドとアルの立場が逆だったら

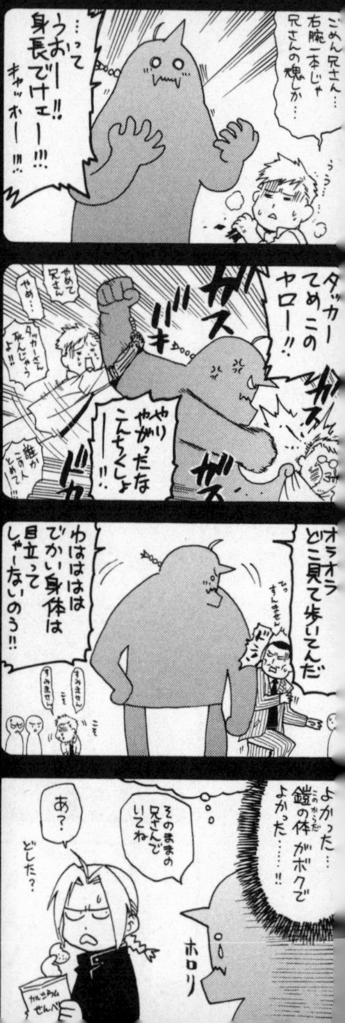

非道なりホーエンハイム

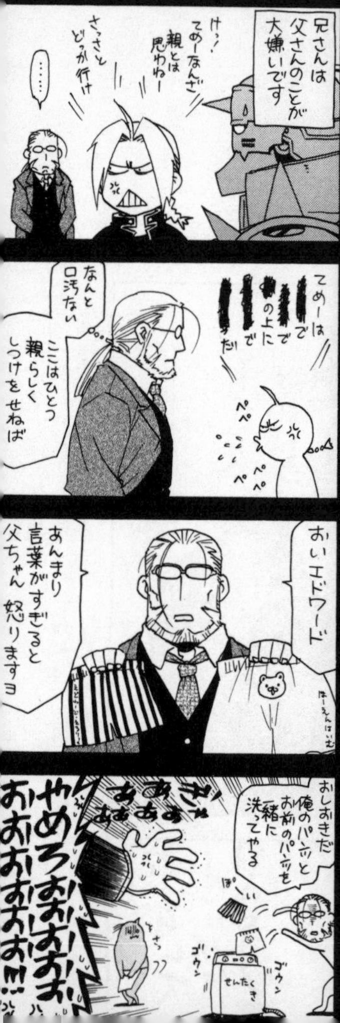

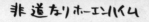

鋼の錬金術師 10

すぺしゃるさんくす～

高枝 景水 さん

ひのでや三吉 つぁん

杜康 潤 さん

弣 正成 さん

馬場 淳史 さん

あいやーぼーる さん

のの さん

上遠野 洋一 アニィ

担当 下村 裕一 氏

AND YOU!!

打ちあわせの様子
38話ですが、シリアスな話なのでコメディ部分はけずりましょう
そうですね その方がしまりがあっていいですね
その分ページをアクションシーンた回して…
ボインは残していいんですか?
ボインは残さなきゃダメだろ!!!
かき かき
下村さんが担当でよかったと今心から思います

そこだけホークアイ中尉 命名
作戦コード名を発表します
私 リザ・ホークアイは「エリザベス」
へ――い
ジャン・ハボック少尉は「ジャクリーン」
ケイン・フュリー曹長は「ケイト」
ヴァトー・ファルマン准尉は「ヴァネッサ」
ハイマンス・ブレダ少尉は
「ブレ子」
ブレ子。

予告《よこく》
Fullmetal Alchemist
そうだ！
あそこにいるのはおまえだ!!
真理《しんり》は残酷《ざんこく》だが正《ただ》しい
一《ひと》つの真実《しんじつ》が見《み》えた。
Don't cry alone

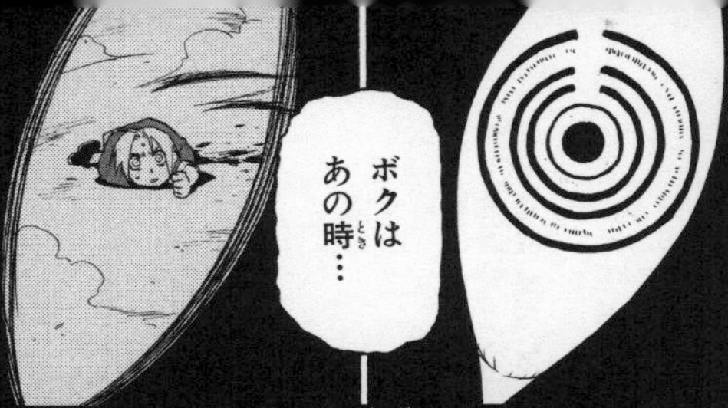

第《だい》11巻《かん》
HAGANE no RENKINJUTSUSHI no.11

ホーエンハイムが残《のこ》した言葉《ことば》に
エドは一《ひと》つの疑問《ぎもん》を抱《いだ》く。
真実《しんじつ》を知《し》ろうとするエドの前《まえ》には、
非情《ひじょう》な現実《げんじつ》が立《た》ちはだかる。
真理《しんり》は残酷《ざんこく》だが正《ただ》しい。
しかし、そこを乗《の》り越《こ》えた時《とき》、
エドは一《ひと》つの答《こた》えを見《み》つける…。

鋼《はがね》の錬《れん》金《きん》術《じゅつ》師《し》
2005年《ねん》7月《がつ》発《はつ》売《ばい》予《よ》定《てい》!!
乞《こ》うご期《き》待《たい》!!

ガンガンコミックス

鋼の錬金術師《はがねのれんきんじゅつし》
FULLMETAL ALCHEMIST

鋼の錬金術師 10

2005年4月11日 初版
2005年10月1日 5刷

著　者　　荒川 弘

発行人
田口浩司
発行所
株式会社スクウェア・エニックス

〒151-8544　東京都渋谷区代々木3-22-7　新宿文化クイントビル3階
〈内容についてのお問い合わせ〉　TEL 03(5333)0835
〈販売・営業に関するお問い合わせ〉　TEL 03(5333)0832
FAX 03(5352)6464

印刷所　図書印刷株式会社

ISBN4-7575-1386-0 C9979